Siempre pienso en ti

Siempre pienso en ti

TEXTO DE KATHI APPELT

ILUSTRACIONES DE JANE DYER

TRADUCCIÓN DE ROSA ROIG

SCHOLASTIC INC.
New York Toronto London Auckland Sydney
Mexico City New Delhi Hong Kong Buenos Aires

Originally published in English as *Oh My Baby, Little One*

ISBN 0-439-35631-8

12 11 10 9 8 7 6 5 4 3 2 2 3 4 5 6 7/0

Printed in the U.S.A. 08

First Scholastic printing, January 2002

Translated by Rosa Roig

Para Kacie, Bradley, y Debbie Leland,
con amor —K. A.

Para Allyn y Eamon —J. D.

Lo que menos me gusta del día
es tenerte que despedir,
darte un abrazo y un beso,
y después separarme de ti.

Pero aunque luego esté lejos
mi amor te hace compañía,
te envuelve por completo,
todas las horas del día.

Mándame un beso, no llores,
dime adiós con la manita.
Mi amor se queda contigo,
a tu lado, muy cerquita.

Lo llevas sentado en el hombro
mientras cantas una canción.
¡Bate palmas, marca el ritmo,
ahora la cantáis los dos!

Ee Ff Gg Hh Kk Ll Mm

Se acurruca en tu bolsillo
y se hace tan pequeñito,
que cuando estás jugando
ni lo notas, de tan chiquito.

Pero mi amor sigue a tu lado,
como las hojas en el árbol,
como en el parque la arena,
y el viento en la cometa.

Se mete en la cartera, con el bocadillo,
bajo tu gorra duerme un ratito.
Y cuando la maestra os lee un cuento,
se posa en tu regazo, tan contento.

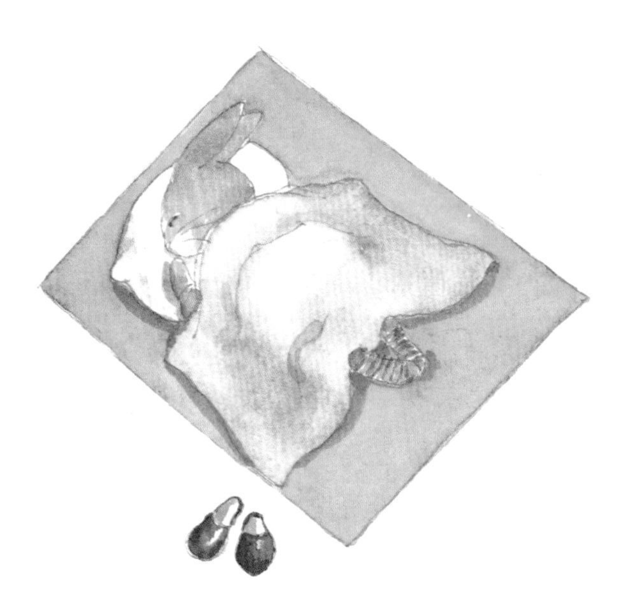

Y cuando llega la hora de la siesta
(chsst, a dormir, no hagáis ruido)
se acurruca a tu lado y te dice:
"Duerme, mi vida, que yo vigilo."

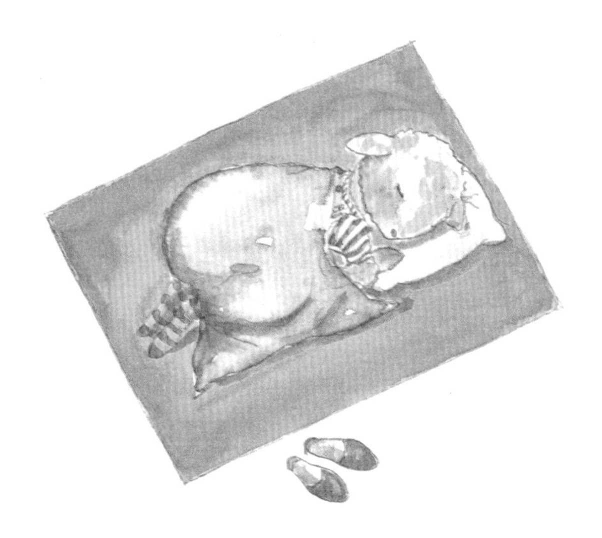

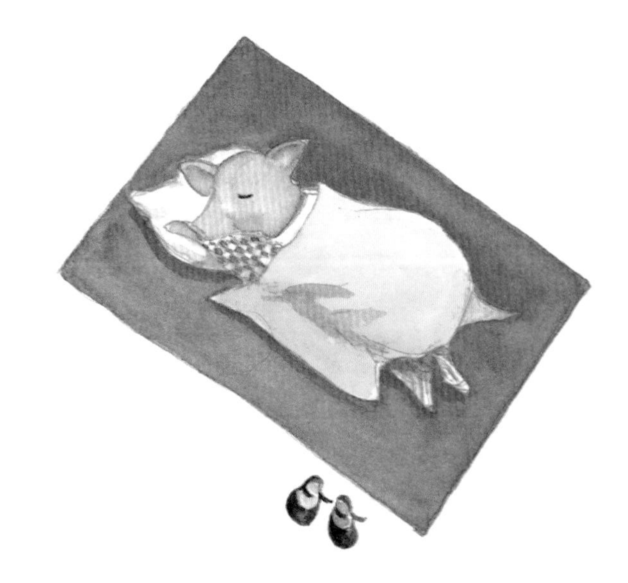

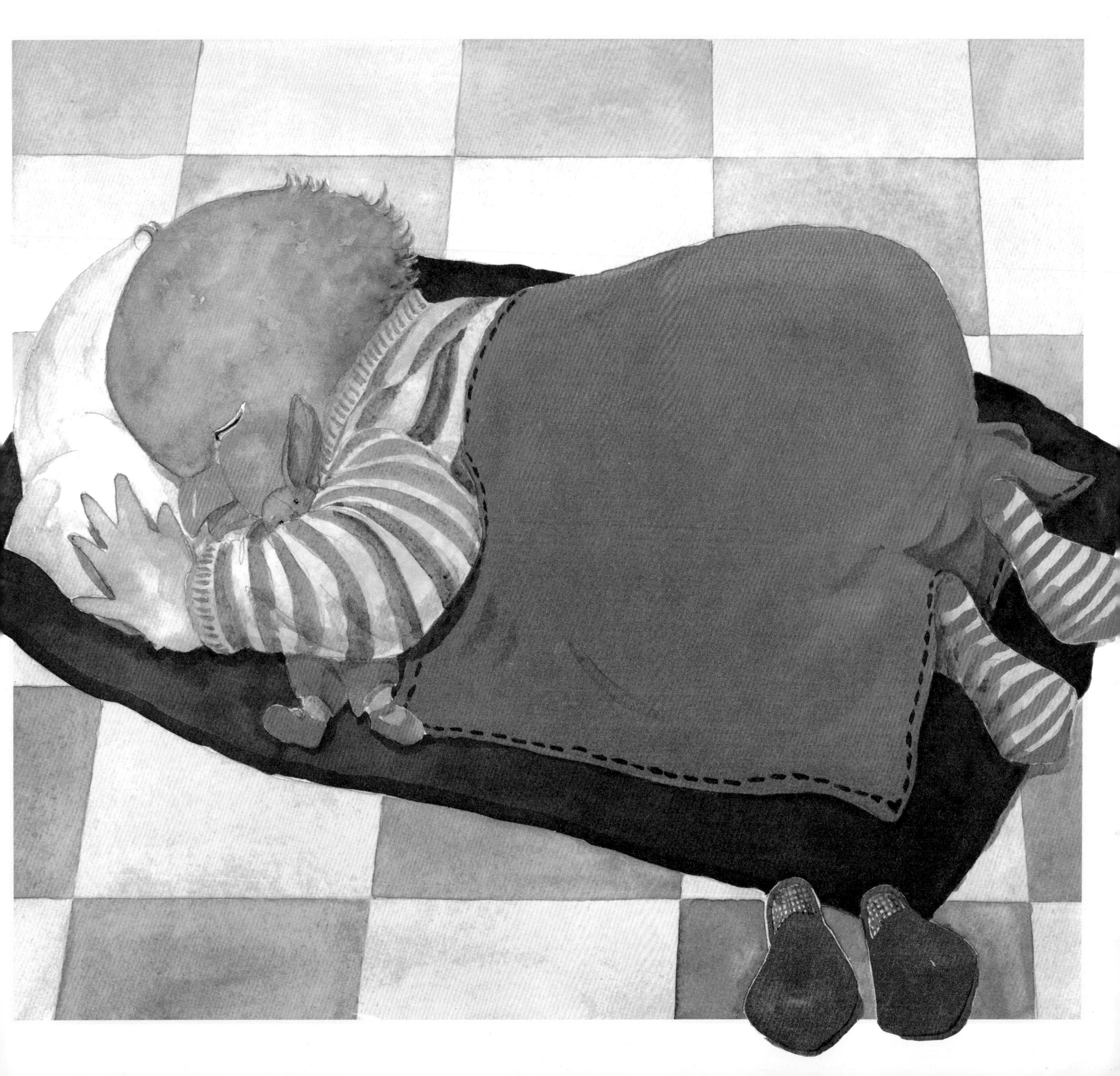

Lo encuentras en la almohada
y después en un calcetín.
Estira los brazos, desperézate bien,
mi amor sigue ahí.

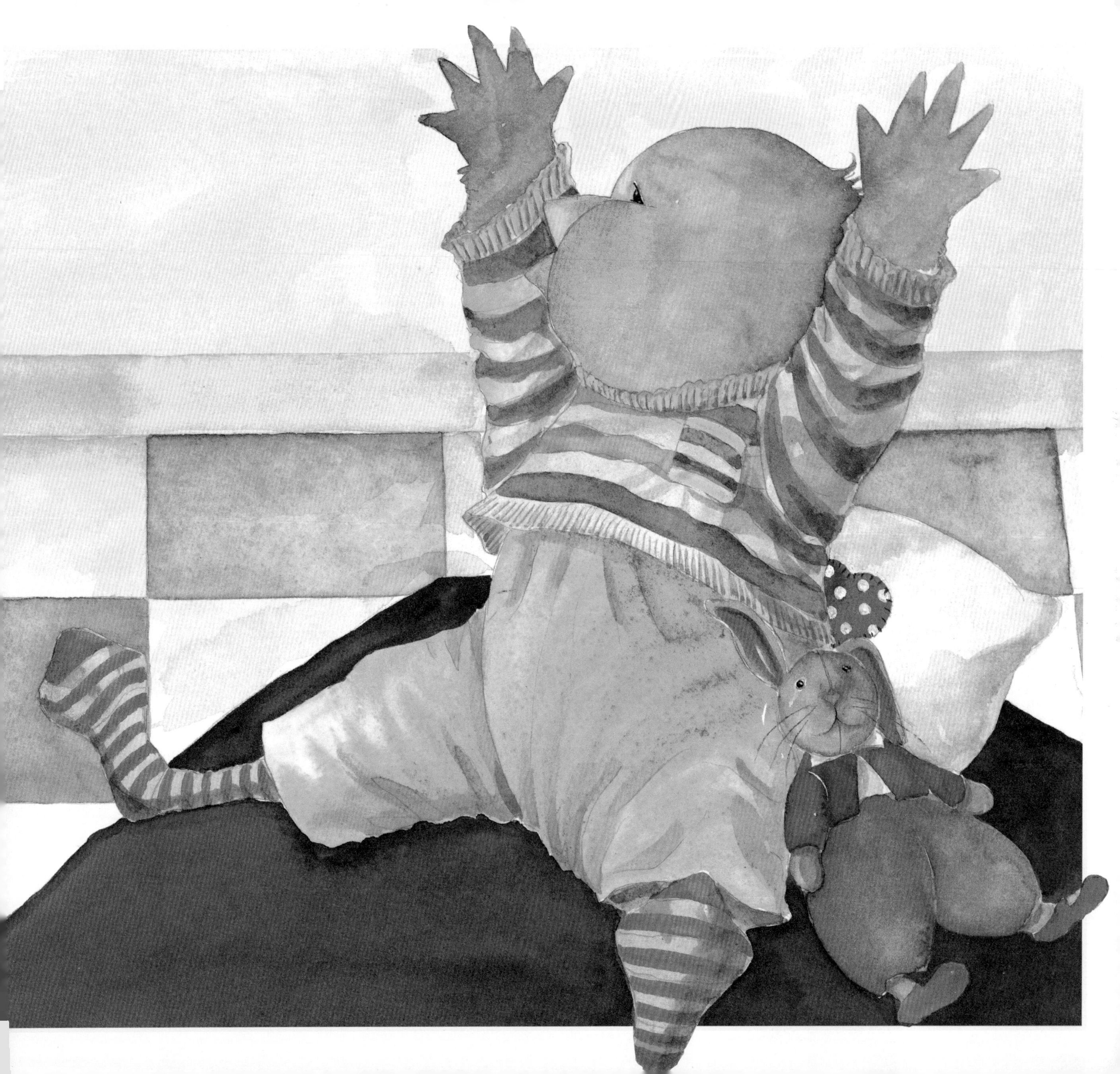

Está contigo todo el día,
mientras pintas te hace compañía,
pero quizá te sorprendas si te digo
que este amor también está conmigo.

Se me posa en el cuello del vestido
mientras hago el trabajo del día.
Y a veces me dice al oído:
"Cómo te añoro, mi vida."

Se desliza en un zapato
o se esconde en un cajón,
pero siempre va conmigo,
a todas horas, corazón.

Me lo encuentro en la taza de café,
y también sentado en la silla.
Vaya donde vaya, y esté donde esté
¡Es un amor que gira y gira!

Pero lo que más me gusta del día,
lo que de verdad me hace feliz,
es irte a buscar y abrazarte fuerte...
¡Hasta mañana no me separo de ti!